유치원 선생님이 뽑은

인기 동요

삼성출판사
samsungbooks.com

차례

는 율동이 있는 노래입니다.

Track
01

숲 속의 아침

2 뚱뚱한 곰들이 물가에 와서 춤추고 춤추고
멋쟁이 말들이 물가에 와서 물 먹고 물 먹고
귀여운 산토끼 뛰어와 깡충깡충 인사하고
하얀 나비 노랑나비 모두 모여 소풍 간대요…

Track
02

개미 심부름

1 개 - 미 가 개 - 미 가 엄 마 심 부 름 간 다
사 이 좋 게 줄 을 서 서 심 부 름 을 가 다 가
동 무 끼 리 서 로 서 로 부 딪 혔 다 네
아 야 아 야 아 파 아 파 미 안 미 안 해
2 야야야야 어디로 갈까 야야 저리로 갈까
부딪히는 바람에 심부름을 잊었네
이것 큰일 났구나 길 좀 비키세
야야 이리로 갈까 야야 저리 갈까

Track
03

수박 파티

커 다 란 수 박 하 나 잘 익 었 나 통 통 통 단 숨 에 쪼 개 니
속 이 보 이 네 몇 번 더 쪼 갠 후 에 너 도 나 도 들 고 서
우 리 모 두 하 모 니 카 신 나 게 불 어 요 쭉 쭉 쭉 쭉 쭉
쓱 쓱 쓱 쓱 쓱 싹 싹 싹 싹 싹 쭉 쭉 쓱 쓱 싹

Track 04
곰 세 마리
곰 세 마 리 가 한 집 에 있 어 아 빠 곰 엄 마 곰 애 기 곰
아 빠 곰 은 뚱 뚱 해 엄 마 곰 은 날 씬 해
애 기 곰 은 너 무 귀 여 워 히 쭉 히 쭉 잘 한 다

꼭꼭 약속해

2 싸움하면은 친구 아니야 사랑하고 지내자…

3 맛있는 것은 나눠 먹으며 서로 돕고 지내자…

새들의 결혼식

2 저 딱따구리 신랑 입장 종달새 신부 입장…

아빠 힘내세요

Track 07

딩동댕 초인종 소리에 얼른 문을 열었더 니 그토록
기다리던 아빠가 문앞 에 서계셨 죠 너무나 반가워
웃으며 아빠 하고 불렀는 데 어쩐지 오늘 아빠의
얼굴이 우울해 보이네 요 무슨일 이 생겼나요 -
무슨걱정 있나요 - 마음대로 안되는일 오 늘 있었나 요
아빠 힘내세 요 우리 가 있잖아 요 아빠 힘내세
요 우리 가 있어 요 힘 내세 요 아 빠 !

Track
08
악어 떼
정 글 숲 을 지나서가 자 엉 금 엉 금 기어서가자
늪 지 대 가 나타나면 은 악어떼가나 올 라 악어떼!

뱅글뱅글 돌아서

2 올라간 코 내려온 코 뱅글뱅글 돌아서 돼지 코
올라간 입 내려간 입 뱅글뱅글 돌아서 붕어 입

Track
10

꿀벌의 여행
윙 윙 거 칠 고 험 한 산 을 날아가지 요
윙 윙 머 나 먼 나 라 까 지 꽃 을 찾 아 서
윙 윙 조 그 만 날 개 고 단 하 여 너무 지쳤지마 는
쉬 지 않 고 날 아 가 지 요 - -
윙 윙 거 칠 고 험 한 산 을 날아가지 요
윙 윙 머나먼 나라 까지 꽃을찾아 서 야 야 야!

괜찮아요

2 호호 추워도 괜찮아요 괜찮아요 괜찮아요
꽁꽁 얼어도 괜찮아요 난 난 난 나는 괜찮아요
털모자 때문도 아니죠 털 구두 때문도 아니죠
용감하니까 괜찮아요 난 난 난 나는 괜찮아요

Track
12

멋쟁이 토마토

울퉁불퉁 멋진몸매 에 빠알간옷을 입 고
새콤달콤 향기풍기 는 멋 쟁이토 마 토 (토마토)
나 는 야 주 스 될 거 야(꿀꺽)나 는 야 케찹될거야(찍)
나 는 야 춤 을 출 거 야(헤이) 뽐내는토 마 토 (토마토)

Track
13

올챙이와 개구리

개 울 가 – 에 올 챙 이 한 마 리 꼬 물 꼬 물 헤 엄 치 다
뒷 다 리 가 쑥 앞 다 리 가 쑥 팔 딱 팔 딱 개 구 리 됐 네
꼬 물 꼬 물 꼬 물 꼬 물 꼬 물 꼬 물 올 챙 이 가
뒷 다 리 가 쑥 앞 다 리 가 쑥 팔 딱 팔 딱 개 구 리 됐 네

Track
14

참 좋은 말

사랑해요 -이 한마디 - 참좋은말 - 우리식구 - 자 고나면 -
주고받는마 - 알 - 사랑해요 - 이 한마디 - 참좋은말 -
엄마 아빠 - 일 터갈때 - 주고받는말 - 이말이
좋아서 - 온종일 신이 나지요 이말이 좋 아서 - 온종일
일맛 나지요 이말이 좋아서 - 온종일 가슴이 - 콩닥 콩닥인데 요
사랑해요 - 이 한마디 - 참좋은말 - 나는나는 - 이
한마디 - 가 정말좋아요 - 사랑 사 - 랑해 요

Track
15

미소

성 난 얼 굴 찡 그 린 얼 굴 싫 어 요 싫 어 요 싫 어 요 -
웃 는 얼 굴 밝 - 은 얼 굴 좋 아 요 좋 아 요 좋 아 요 정 말 좋 아 요
언 제 나 어 디 서 나 - 미 소 를 지 어 보 세 요
언 제 나 어 디 서 나 미 소 를 지 어 보 세 요

굴 속의 작은 곰

굴 속의 작은 곰 새 봄이 왔는 데 잠 만 자 네 요

잠 자는 모 습 이 웃 겨 코 를 골 고 자 네 쿨 쿨

깜 짝 놀 라 일 어 나 먹 을 것 을 보 더 니 맛 있 게 도 먹 는 다

Track
17

아이들은
세 상이이 렇게 밝 은것은 즐거운노래로 가 득 찬 것 은
집 집 마 다 어 린 해 가 자 라 고 있 어 서 다 그 해 가 노 래 이 기
때문이 다 어 른 들 은 모 를 거 야 아 이 들 이 해 인 것
을 하 지 만 금방이 라 도 알 수 있 지 알 수 있 어
아 이 들 이 잠 시 없 다 - 면 아 이 들 이 잠 시 없 - 다 - 면
나 나 나 나 나 나 나 낮 도 - 밤 인 것 을 노 랫 소 리 들 리 지 않 는 것 을

Track 18
앵두
초 - 록 초 록 나 무 에 빨 - 간 빨 간 앵 두 가
다 닥 다 닥 구 슬 처 럼 많 이 열 렸 네
한 - - 알 만 한 알 만 똑 - - 똑 - 따 다 가
우 리 아 기 입 - 속 에 쏙 넣 었 으 면

2 아빠하고 손목 잡고 같이 걸으면 사람들이 나를 보고 아빠 닮았대
우뚝 솟은 높은 코 코가 닮았대 곱슬곱슬 머리도 아빠 닮았대

도토리

2 ...깊은 산골 종소리 듣고 있다가 왔지

3 ...다람쥐 한눈팔 때 졸고 있다가 왔지

허수아비 아저씨

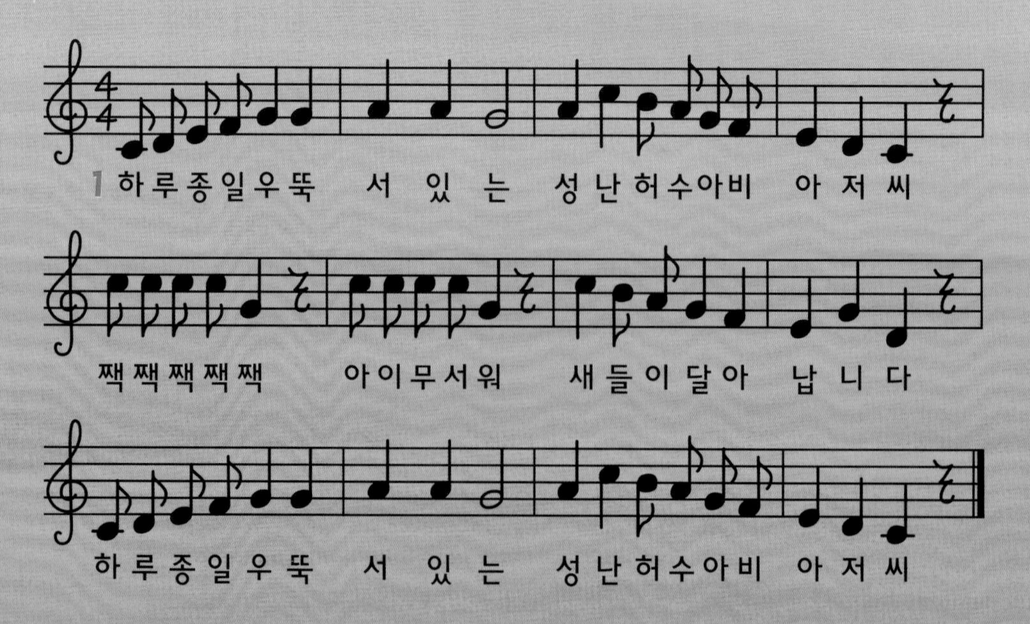

2 하루 종일 참고 서 있는 착한 허수아비 아저씨
하하하하하 조심하세요 모자가 벗겨지겠네
하루 종일 참고 서 있는 착한 허수아비 아저씨

Track 22
피노키오
꼭두 각 시인형 피 노 키 오 나는 네가좋구 나 파 란
머 리 천 사 만 날 때 는 나 도 데려가주 렴 피 아
노 치고 미 술 도 하 고 영 어 도 하 면 바 쁜 데 너 는
언 제 나 공 부 를 하 니 말 썽 쟁 이 피 노 키 오 야 우 리
아 빠 꿈 속에 오 늘 밤 에 나 타 나 내 얘 기좀 잘 해 줄 수 없겠 니 먹 고
싶 은 것 이 랑 놀 고 싶 은 것 이 랑 모 두 모 두 할 수 있게 해 줄 래

Track
23

아기 염소

파란하늘 파란하늘꿈이 드리운푸른언덕 에
아기염소여럿이 풀을뜯고놀아요 해처럼밝은얼굴 로
빗방울이 뚝뚝뚝뚝 떨어지는날에는 잔뜩찡그린얼굴 로
엄마찾아 음－매 아빠찾아 음－매 울상을짓다 가
해가반짝 곱게피어나면 너무나 기다렸나 봐
폴짝폴짝 콩콩콩 흔들흔들 콩콩콩 신나는아기염소 들

씨앗

2 싹 싹 싹이 났어요 또 또 물을 주었죠
하룻밤 이틀 밤 어 어 어 뽀로롱 뽀로롱
뽀로롱 꽃이 폈어요

Track
25
하얀 나라
나 는 눈 이 좋 아 서 꿈 에 눈 이 오 나 봐
온 세 상 이 모 두 하 얀 나 라 였 지 어 젯 밤 꿈 속 에
Fine
썰 매 를 탔 죠 눈 싸 움 했 죠 커 다 란 눈 사 람 도 만 들 었 죠
D.C.

Track 26
아기 다람쥐 또미
쪼로로롱 산새 가 노 래하는 숲속 에
예 쁜아기 다 람 쥐 가 살 고 있었어 요
울 창 한 숲 속 푸 른 나 무 위 에 서
아 기 다 람 쥐 또 미 – 가 살 고 있었어 요
야 호 랄 라 노 래 부 르 자 야 호 숲 속 의 아 침 을
야 호 트랄라 귀 여 운 아 기 다 람 쥐 또 미
또미네

Track
27

예쁜 아기 곰

동그란눈에 까만작은코 하얀털옷을입은 예쁜아기곰
언제나너를 바라보면서 작은소망얘기하 - 지
너의곁에있으 면 나 는 행 복 해
어떤비밀이라 도 말할 수 있 어
까만작은코 - 에 입 을 맞 추 면
수줍어 - 얼굴을 붉히는 예쁜아기 곰

우리 모두 다 같이

2 ...고개를 (끄덕)...

3 ...발 굴러 (쿵쿵)...

4 ...차례로 (짝짝, 끄덕, 쿵쿵)...

Track 29
도깨비 나라
이 상 하 고 아 름 다 운 도 깨 비 나 라
방 망 이 를 두 드 리 면 무 엇 이 될 - 까
금 나 와 라 와 라 뚝 - 딱 은 나 와 라 와 라 뚝 - 딱

잉잉잉

2 오이 밭에 오이는 날씬한 오이 이리 봐도 저리 봐도 날씬한데
둥글둥글 호박이 놀러 왔다가 나는 언제 예뻐지나 잉잉잉

Track
31

작은 동물원

삐 악 삐 악 병 아 리 음 매 음 매 송 아 지
따 당 따 당 사 냥 꾼 뒤 뚱 뒤 뚱 물 오 리
푸 푸 개 - 구 리 - 찌 게 찌 게 찌 게 가 - - 재 -
푸 르 르 르 르 르 르 물 풀 소 라

Track
32

솜사탕

나뭇가지에 실처럼 - 날아든솜 사 탕
하얀눈처 럼 희고 도 - 깨끗한솜 사 탕
엄마손잡 고 나들이갈때 먹어본솜 사 탕
훅 훅 불면은 구멍이뚫리는 커다란솜 사 탕

김장 노래

2 지게로 지게로 배추 어서 가져와 지게로 지게로 속히 가져와
소금에다 절여서 맑은 물에 씻어라 맑은 물에 맑은 물에 배추 씻어라

3 넣어라 넣어라 고추 양념 만들어 배추를 헤치고 속을 넣어라
고추 생강 다져서 배추 속에 넣으면 먹을 때 먹을 때 맛이 좋단다

Track 34
싹싹 닦아라
싹 - 싹 - 닦 - 아 라 윗 니 아 랫 니
싹 - 싹 - 닦 - 아 라 앞 니 어 금 니
이 잘 닦 는 아 - 이 는 하 얀 이 예 쁜 이
웃 을 때 는 반 짝 반 짝 참 예 뻐 요

Track
35
봄비
유리창에예쁜 은 구 슬 쪼로로로롱 쪼로로로롱
떼굴떼굴굴러 어디로갈까 예 쁜 은 구 슬
떼굴떼굴 떼굴 쪼 로 롱 떼굴떼굴 떼굴 쪼로로로롱

Track
36

네잎 클로버

깊고작은산골짜기 사 이로 맑은물흐르는 작은샘터에

예쁜 꽃들사이에 살 짝숨겨진이슬먹고피어난 네잎클로버랄랄라

한 - 잎랄랄라 두 - 잎랄랄라 세 - 잎랄랄라 네 - 잎

행운을 가져다 준 다는 수줍은얼굴의미 소

한줄기의따스한 햇 살 받 으 며 희 망 으 로가득한

나의친구야빛처럼밝은 - 마음으로 너 - 를닮 - 고싶 어

생일 축하합니다

'넌 할 수 있어'라고 말해 주세요

Track 39

숲 속 작은 집

Track 40

누가 누가 잠자나

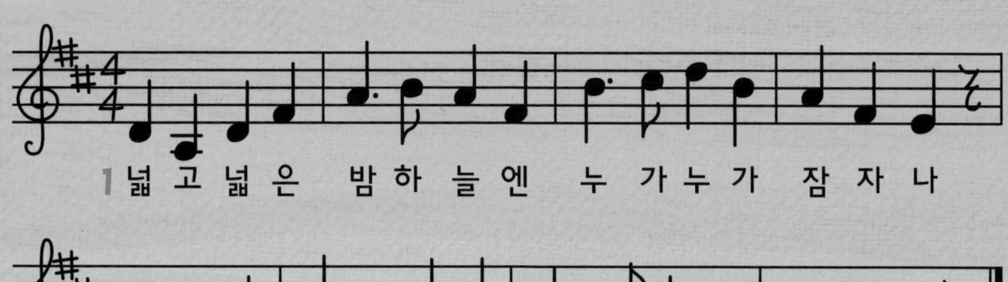

2 깊고 깊은 숲 속에선 누가 누가 잠자나
산새 들새 모여 앉아 꼬박꼬박 잠자지

3 포근포근 엄마 품엔 누가 누가 잠자나
우리 아기 예쁜 아기 새근새근 잠자지

Track 41
산중호걸
산 중 호걸이라 하는 호 랑 님 의 생일날이 되어
각 색 짐 승 공-원에 모 여 무 도 회 가 열 렸 네
토 끼 는 춤 추 고 여 우 는 바 이 올 린
그 중 에 한 놈 이 잘 난 체 하 - 면 서
찐 짠 찌가찌가 찐 짠 찐 짠 찐 짠 하 더 라
까 불 까불까불 까 불 까 불 까 불 하 더 라

Track 42

작은 세상

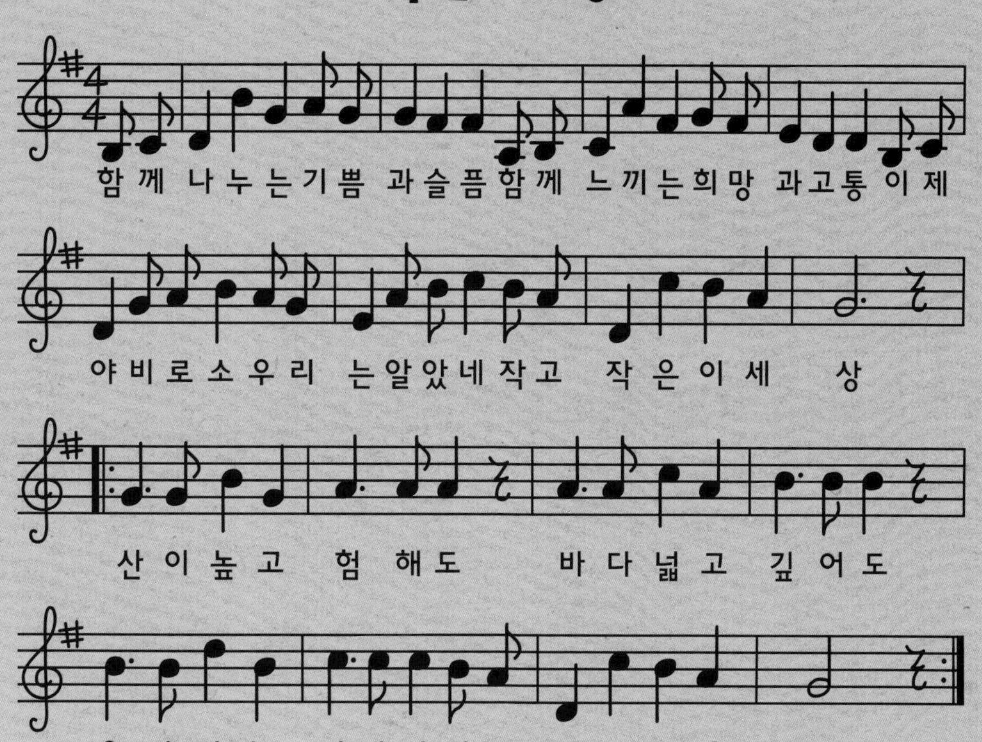

사랑

2 아빠를...

3 선생님을...

Track 44
숲 속을 걸어요
1 숲 속 을 걸 어 요 산 새 들 이 속 삭 이 는 길
숲 속 을 걸 어 요 꽃 향 기 가 그 - 윽 한 길 해 님
도 쉬 었 다 가 는 길 - 다 람 쥐 가 넘 나 드 는 길 정 다
운 얼 굴 로 우 리 모 두 숲 속 을 걸 어 요
2 숲 속을 걸어요 맑은 바람 솔바람 이는
숲 속을 걸어요 도랑물이 노래하는 길
달님도 쉬었다 가는 길 산 노루가 넘나드는 길
웃음 띤 얼굴로 우리 모두 숲 속을 걸어요

Track 45
아빠와 크레파스
어젯밤엔 우리아빠가 다정하신- 모-습으로 한손에는
그릴것은 너무많은데 하얀 종이가 너무작아서 아빠얼굴
크레파스를 사가지고 오셨어 요 음 음
요 음음밤 -
그리고나니 잠이들고 말았어
1.
2.
새 꿈나라 에 아기 코 끼 리 가 춤을추었고 크레
파 스 병정들 은 나뭇잎을 타고놀았 죠 음 음
어 젯 밤 엔 달 빛 도 아 - 빠 의 웃 음 처 럼
나 의 창 에 기 대 어 포근히날 재워줬어 요 음 음

귀여운 꼬마

2 귀여운 꼬마가 돼지우리에 가서 돼지를 잡으려다 놓쳤다네
우리 밖에 있던 배고픈 늑대 옳거니 하면서 물고 갔다네
꿀꿀꿀 돼지 소리를 쳤네 꿀꿀꿀 돼지 소리를 쳤네
귀여운 꼬마가 그 꼴을 보고 웃을까 울을까 망설였다네

산에 나무가 없으면

2 산에 나무가 있으면 산에 나무가 있으면
산에 나무가 있으면 그 산 튼튼하겠네
비 오고 바람 불면 홍수가 (뚝) 비 오고 바람 불면 홍수가 (뚝)
비 오고 바람 불면 홍수가 (뚝) 그 산 튼튼하겠네

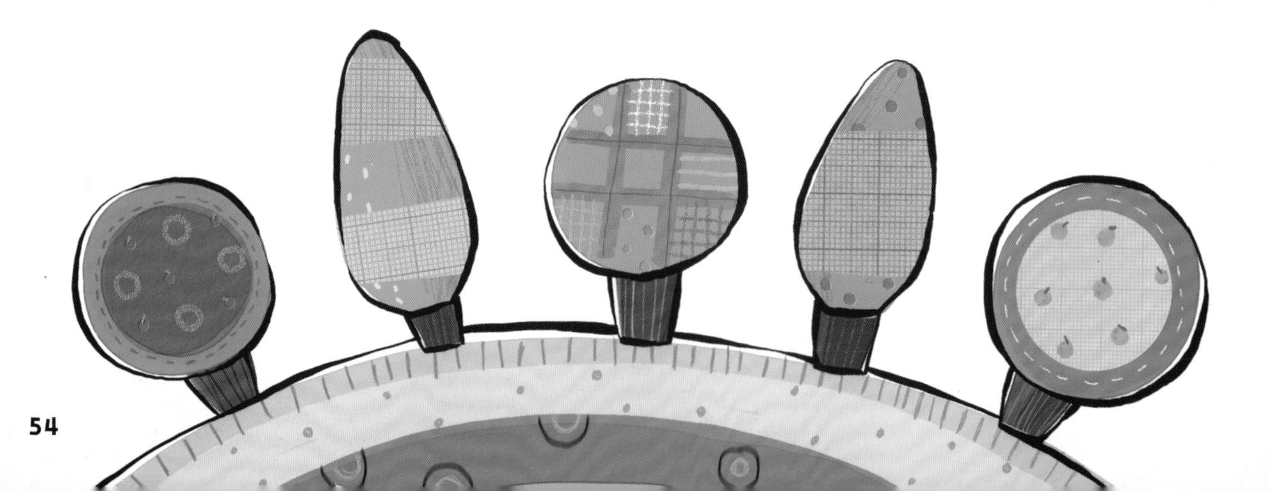

싹트네

2 싹트네 싹터요 내 마음에 기쁨이 싹트네 싹터요 내 마음에 기쁨이
밀려오는 파도처럼 내 마음에 기쁨이 싹트네 싹터요 내 마음에 기쁨이

코끼리와 거미줄

1 한 마리코끼리가 거미줄에걸렸네 신나게그네를 탔다네

너무너무 재미가 좋아좋아랄랄라 다른친구코끼리를 불렀네

2 두 마리...
3 세 마리...
4 네 마리...
5 다섯 마리 코끼리가 거미줄에 걸렸네 신나게 그네를 탔다네
너무 많은 코끼리가 올라탔네 랄랄라 그만 그만 툭 하고 끊어졌대요

Track 50

이렇게 살아가래요

부모님께 노래하며 쑥쑥 자라는 아이들

황소영(유아교육학 박사)

동요는 전인적인 성장과 발달에 많은 도움을 줍니다. 언어 발달의 결정적 시기인 유아기에 있어 동요는 꼭 필요한 요건으로, 다양한 의성어, 의태어와 반복되는 후렴구 등 시적인 노랫말이 언어 발달을 촉진시킵니다. 아름다운 멜로디는 심미적 감상력을 키워 주며, 대부분 흥겨운 율동과 함께 할 수 있어 신체 발달에도 도움을 줍니다.

1~2세의 유아는 혼자 걸을 수 있게 되면서 무엇에나 흥미를 느낍니다. 특히 주변의 소리에 반응하여 눈과 손으로 탐색하는 것을 무척이나 좋아하는데, 동요는 이 시기의 유아에게 리듬이나 선율 같은 소리의 패턴을 듣고 몸을 움직이며 탐색할 수 있도록 도와줍니다.

2세부터 유아는 동요를 듣고 따라 부르기 시작하면서 수많은 단어를 알고 기억하게 됩니다. 반복되는 구절과 후렴구로 이루어진 동요를 자주 들려주어 단어들을 재미있게 접할 수 있도록 하는 것이 좋습니다. 또 폭넓은 신체 활동이 가능해지면서 음악에 맞춰 손뼉을 치고 발을 구르는 등 여러 가지 율동을 함께 할 수 있어 신체 발달에도 효과적입니다.

3~5세의 유아는 음악적 능력이 비약적으로 발달합니다. 박자에 맞춰 율동을 하거나 탬버린, 캐스터네츠 등의 악기를 이용하여 박자를 표현할 수도 있습니다. 이는 친구와 함께 하는 놀이로 연결되어 유아의 사회성 발달을 촉진시켜 줍니다. 또 다양한 동물의 이야기를 담은 노랫말은 무한한 상상의 나래를 펼 수 있게 도와주며, 사랑, 우정, 감사 등 긍정적 정서를 다룬 노랫말은 유아가 올바르고 행복한 생각을 할 수 있도록 이끌어 줍니다.